【启发精选童诗绘本系列】

蝴蝶·豌豆花

——中国经典童诗

诗歌主编／金　波

绘画主编／蔡　皋

河北出版传媒集团

河北教育出版社

目录

湖 上

文/胡 适　图/王晓明

水上一个萤火，
水里一个萤火，
平排着，
轻轻地，
打我们的船边飞过。
他们俩儿越飞越近，
渐渐地并作了一个。

天上的街市

文／郭沫若　图／赵晓音

远远的街灯明了，
好像闪着无数的明星。
天上的明星现了，
好像点着无数的街灯。

我想那缥缈的空中，
定然有美丽的街市，
街市上陈列的一些物品，
定然是世上没有的珍奇。

我想他们此刻，
定然在天街闲游。
不信，请看那朵流星，
是他们提着灯笼在走。

你看，那浅浅的天河，
定然是不甚宽广。
那隔着河的牛郎织女，
定能够骑着牛儿来往。

7

8

瀑 布

文/叶圣陶　图/钦吟之

还没看见瀑布，
先听见瀑布的声音，
好像叠叠的浪涌上岸滩，
又像阵阵的风吹进松林。

山路忽然一转，
啊，望见了瀑布的全身！
这般景象没法比喻，
千丈青山衬着一道白银。

站在瀑布脚下仰望，
好伟大呀，一座珍珠的屏！
时时吹来一阵风，
把它吹得如烟，如雾，如尘。

花牛歌

文／徐志摩　图／钦吟之

花牛在草地里坐，
压扁了一穗剪秋萝。

花牛在草地里眠，
白云霸占了半个天。

花牛在草地里走，
小尾巴甩得滴溜溜。

花牛在草地里做梦，
太阳偷渡了西山的青峰。

11

纸 船 <small>(寄母亲)</small>

文/冰心　图/王晓明

我从不肯妄弃了一张纸，
　　总是留着——留着，
叠成一只一只很小的船儿，
　　从舟上抛下在海里。

有的被天风吹卷到舟中的窗里，
　　有的被海浪打湿，沾在船头上。
我仍是不灰心地每天地叠着，
　　总希望有一只能流到我要它到的地方去。

母亲，倘若你梦中看见一只很小的白船儿，
　不要惊讶它无端入梦。
这是你至爱的女儿含着泪叠的，
　万水千山，求它载着她的爱和悲哀归去。

忆

文/俞平伯　图/张小莹

有了两个橘子，
一个是我的，
一个是我姐姐的。

把有麻子的给了我，
把光脸的她自己有了。

"弟弟你的好，
绣花的呢。"

真不错！
好橘子，我吃了你吧。
真正是个好橘子啊！

15

疑 问

文／汪静之　图／蔡 皋

蝴蝶怎么会飞呢？

我怎么不能够呢？

啊！我也要飞啊！

小鸟怎么会唱歌呢？

妈妈怎么不教我唱歌呢？

啊！我也要唱啊！

花儿怎么那么鲜艳可爱呢？

我怎么不和他一样呢？

啊！我也要开得像花啊！

蝴蝶·豌豆花

文/郭风 图/李娜

一只蝴蝶从竹篱外飞进来，
豌豆花问蝴蝶，
你是一朵飞起来的花吗？

18

捉迷藏

文/圣野 图/蔡皋

小妹妹跟风
捉迷藏

小妹妹问风：
藏好了没有
待了好一会
没有听风说话儿
小妹妹就从墙角后
跳出来找风
找来找去找不到

20

忽然"嘻"的一声
风在一棵树上笑起来了
有一张树叶子没站稳
给风一笑
掉下来了
小妹妹连忙跳过去
把叶子捉住，问它：

风呢？

叶子红起脸孔说：
我也不知道！

春 雨

文／刘饶民　图／俞 理

滴答，滴答，
下小雨啦……

种子说：
"下吧，下吧，
我要发芽。"

梨树说：
"下吧，下吧，
我要开花。"

麦苗说：
"下吧，下吧，
我要长大。"

小朋友说：
"下吧，下吧，
我要种瓜。"

滴答，滴答，
下小雨啦……

找 梦

文/田地 图/周翔

我一睡觉，梦就来了。我一醒来，梦就去了。

梦从哪里来？又到哪里去？我多么想知道，想把它们找到！

在枕头里吗？我看看——没有。在被窝中吗？

关上门也好；关上窗也好

我看看——没有。

只要一合眼，梦就又来了。

25

小鸟音符

文/柯岩　图/俞理

小鸟，小鸟，
你们为什么
不坐在高高的树梢？

小鸟，小鸟，
你们为什么
在电线上来回跳跃？

明白了，明白了，
你们错把
电线当成五线谱了。

小鸟音符，
呵，音符小鸟——
多么美丽的曲调……

27

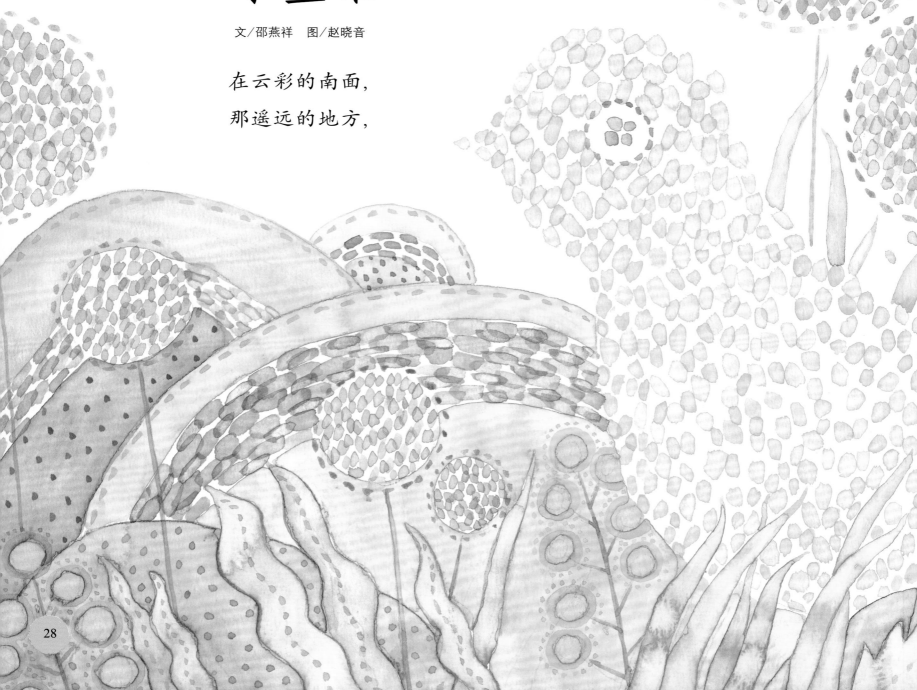

小童话

文/邵燕祥　图/赵晓音

在云彩的南面，
那遥远的地方，

28

有一群树叶说：

我们想像花一样开放。

有一群花朵说：

我们想像鸟一样飞翔。

有一群孔雀说：

我们想像树一样成长。

29

如果我是一片雪花

文／金 波　图／朱成梁

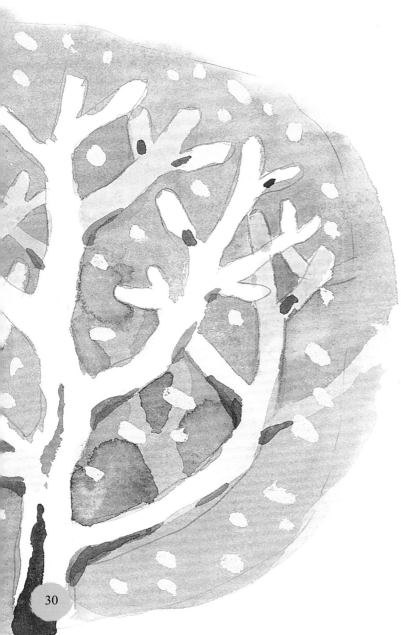

如果我是一片雪花，
你猜，我会飘落到
什么地方去呢？

我愿飘到小河里，
变成一滴水，
和小鱼小虾游戏。

我愿飘到广场上，
堆个胖雪人，
望着你笑眯眯。

我更愿飘落在妈妈的脸上，
亲亲她，亲亲她，
然后就快乐地融化。

野菊花

文/樊发稼　图/李 娜

白天，

我从山上

采回一朵野菊花。

灯光下，

它显得这样憔悴。

噢，它一定是

舍不得离开

大山妈妈……

——唉，

我真后悔。

我喜欢你，狐狸

文/高洪波　图/张小莹

你是一只小狐狸，
聪明有心计，
从乌鸦嘴里骗肉吃，
多么可爱的主意！

活该，谁叫乌鸦爱唱歌，
呱呱呱自我吹嘘！
再说肉是他偷的，
你吃他吃都可以。

也许你吃了这块肉，
会变得漂亮无比！
尾巴像红红的火苗
风一样掠过绿草地。

我喜欢你，狐狸，
你的狡猾是机智，
你的欺骗是才气。
不管大人怎么说，
我，喜欢你。

35

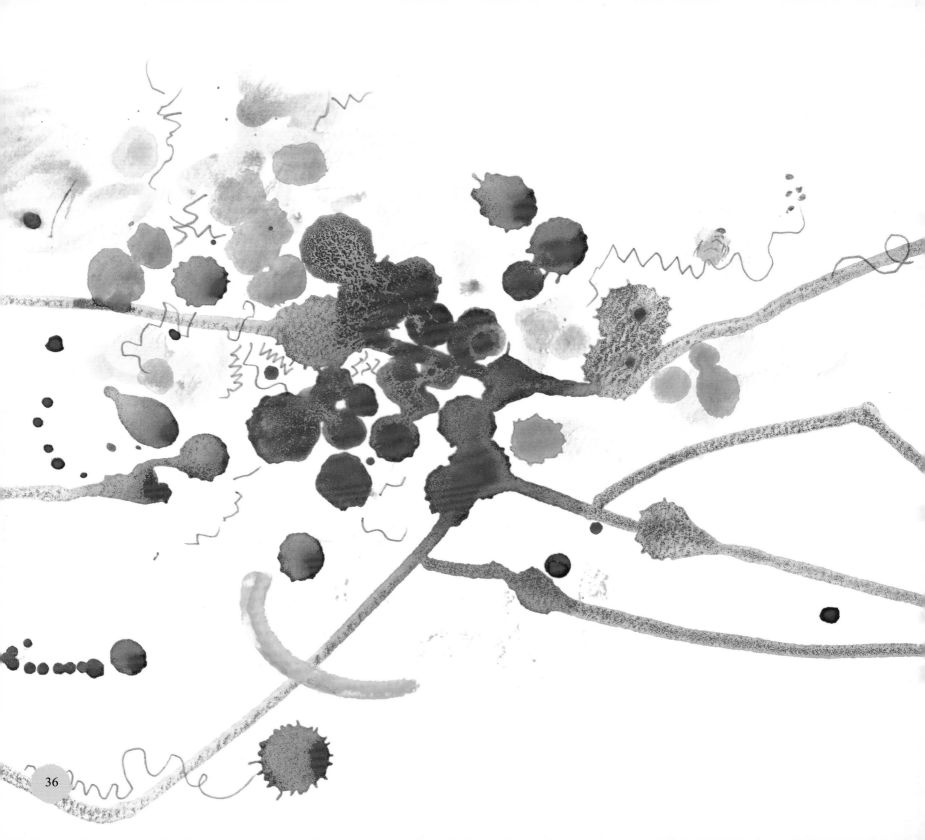

安 慰

文/顾城 图/周翔

青青的野葡萄
淡黄的小月亮
妈妈发愁了
怎么做果酱

我说：
别加糖

在早晨的篱笆上
有一枚甜甜的红太阳

写给云

文/白冰 图/何艳荣

你想变小你就变小，
你想变大你就变大，
变小，小得像块手帕，
像朵洁白的小花；
变大，大得无边无际，
能盖住整个天下。
没有人在蓝天上，
为你把框框画。

你想变什么就变什么，
小鹿、大象、小鸟、青蛙……
即使变成猪八戒，
也没人笑话，
即使变成小狗熊，

也不担心挨骂，
没有人要你老老实实，
变成"聪明"的傻瓜。

你愿意做什么，
就去做什么，
你想成为雨就成为雨，
去亲吻小草小花；
你想成为雪就成为雪，
像白蝴蝶飞落千家万家，
然后，成为透明的水汽，
飞呀，飞回天上老家，
没有人用好多"安排""计划"，
把你变成机器娃娃……

啊，让我也变成一朵
自由幸福的云吧！

亲亲我

文/郑春华　图/何艳荣

海风真大　　　　　　海风咯咯笑着说
冲上来扯我头发　　　别怕　别怕
扑上来抓我脚丫　　　我只是亲亲你呀
我紧紧拉住栏杆
生怕被海风吹上天
变成一只大雁

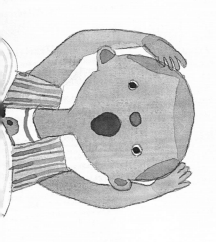

村小：生字课

文/高凯 图/朱成梁

蛋 蛋 鸡蛋的蛋

调皮蛋的蛋 乖蛋蛋的蛋

红脸蛋的蛋

张狗蛋的蛋

马铁蛋的蛋

花 花 花骨朵的花

桃花的花 杏花的花

花蝴蝶的花 花衫衫的花

王梅花的花

曹爱花的花

黑 黑 黑白的黑

黑板的黑 黑毛笔的黑

黑手手的黑

黑窑洞的黑

黑眼睛的黑

外 外 外面的外

窗外的外 山外的外 外国的外

谁还在门外喊报到的外

外 外——

外就是那个外

飞 飞 飞上天的飞

飞机的飞 宇宙飞船的飞

想飞的飞 抬膀膀飞的飞

笨鸟先飞的飞

飞呀飞的飞……

作者简介

◎ 胡 适

(1891－1962)，1920出版第一部采用白话文创作的新诗集《尝试集》。1928年与徐志摩等出版《新月》月刊。晚年致力于《水经注》版本的考证。

◎ 郭沫若

(1892－1978)，1921年出版了第一部诗集《女神》，1922年1月写就论文《儿童文学之管见》，他还为孩子创作了不少儿童诗，儿童歌舞剧和童话。

◎ 叶圣陶

(1894－1988)，1921年初与茅盾等人发起组织文学研究会，同年冬，致力于童话创作，创作了《儿和影子》等多篇小诗，先后出版了童话集《稻草人》，《古代英雄的石像》等。

◎ 徐志摩

(1897－1931)，1923年成立新月社，出版的诗集有《翡冷翠的一夜》等，此外，他还为孩子写过四篇童话。

◎ 冰 心

(1900－1999)，1923年赴美留学期间，以"异邦见闻"结集《寄小读者》出版，还写过《小桔灯》等儿童小说。

◎ 俞平伯

(1900－1998)，1919年于北京大学毕业后，积极参加新文学运动，与朱自清，叶圣陶等创办《诗》月刊，新诗集有《冬夜》，《西还》等。

◎ 汪静之

(1902－1998)，1921年开始发表新诗，1922年与冯雪峰等成立湖畔诗社，1922年与应修人等合出《湖畔》诗集。

◎ 郭 风

(1917－2010)，1938年开始从事散文和儿童文学创作，著有儿童文学作品《小郭在村中写生》，《蒲公英和虹》等。

◎ 圣 野

1922年生，曾任《小朋友》杂志主编，出版的儿童诗集有60多本，包括《挤挤城和宽宽街》、《春娃娃》，另外创作有童话集《两袋种子》，诗论集《诗的散步》等。

◎ 刘饶民

(1922－1987)，20世纪四五十年代曾在中小学任教，1951年出版了第一部儿童诗集，先后出版了诗集《海边儿歌》、《百子图》，童话诗《种瓜少年》等。

◎ 田 地

1927年生，曾当过多年小学教师和儿童书刊编辑，出版有《告别》等诗集，还有十余本童话故事。

◎ 柯 岩

1929年生，1956年到中国儿童艺术学院写作儿童诗和儿童剧，出版有诗集《"小迷糊"阿姨》和剧本《娃娃店》等。

◎ 邵燕祥

1933年生，1947年开始发表作品，除成人诗集外，还出版有儿童诗集《八月的萤火》、《芦管》等。

◎ 金 波

1935年生，20世纪五六十年代发表短诗和歌词，80年代在儿童抒情诗领域创作成就斐然，结集出版的有诗集《我的雪人》、《我们去看海》，童话集《乌丢丢的奇遇》、《影子人》等。

◎ 樊发稼

1937年生，1955年开始发表作品，主要有评论集《爱的文学》，作品《花花旅行记》，《春雨的悄悄话》等。

◎ 高洪波

1951年生，1979年开始发表作品，创作以散文诗歌为主，兼写儿童文学评论，出版有儿童诗集《吃石头的鳄鱼》以及评论集《鹅背驮着的童话》等。

◎ 顾 城

（1956－1993），1962年开始写诗，成为朦胧诗派的主要代表。著有诗集《白昼的月亮》、《北方的孤独者之歌》、《黑眼睛》等。

◎ 白 冰

1956年生，1977年开始儿童文学创作，出版有诗集《飞翔的童心》，作品集《红月亮和绿太阳》，译作英国童话集《丢了鼻子的小丑》等。

◎ 郑春华

1959年生，1981年调入少年儿童出版社任编辑至今，创作以幼儿文学为主，出版有诗集《甜甜的托儿所》，中篇小说《大头儿子系列故事》等。

◎ 高 凯

1963年生，上世纪90年代中期为诗坛关注，首届闻一多诗歌奖获得者，代表作《村小：生字课》获第五届全国优秀儿童文学奖。

画者简介

◎ **何艳荣**

1934年生，1957年开始儿童题材的版画创作，1959年自编自画的《自己的事自己做》发行累计200余万册，并多次获奖，退休后仍自编自画《小猫的故事》13篇，其中《袋鼠妈妈》获国际儿童读物联盟中国分会（CBBY）第一届小松树奖。

◎ **俞 理**

1936年生，1957年毕业于沈阳鲁迅美术学院，1959年在上海少年儿童出版社工作，任低幼读物编辑室美术编辑，并开始创作儿童书籍的插图，1992年退休，之后仍笔耕不辍。代表作品《小兔小小兔当了大侦探》获第一届小松树奖，《阿布加和中国医生》获全国书籍插画二等奖，作品还有《岩石上的小蝌蚪》等。

◎ **王晓明**

1945年生，有时画画，有时作文，代表作《雪孩子》、《花生米样的屁》等，近期有长篇儿童小说《小Betty》出版。作品《爱忘事的熊爷爷》曾获第二届小松树奖；《花生米样的云》获第四届全国儿童文学奖；获2003年中国安徒生奖；2004年国际儿童读物最高奖项——安徒生奖提名。

◎ **李 娜**

1953年生，自1976年开始，为儿童读物绘画，曾任江苏出版社美术编辑，作品《花孩子》1984年参加第六届全国美术作品展，作品《儿歌选》插页中的"小蜜蜂"、"小蜻蜓"等参加1986年全国文学插图艺术展，并在全国首届儿童美术邀请赛中获优秀作品奖。

◎ **蔡 皋**

1946年生，擅长水粉画、中国画。《荒园狐精》获第14届布拉迪斯拉发国际儿童图书插图(BIB)金苹果奖。1998被选为国际儿童读物联盟(IBBY)中国分会(CBBY)理事。2000年被"第34届波隆那国际儿童图画书展"组织委员会聘为该展评审委员。作品《桃花源的故事》被定为日本小学国语教材。

◎ **周 翔**

1956年生，现任《东方娃娃》主编。作品《贝贝流浪记》，《当心小妖精》分别获得第一、二届小松树奖；2009年，《一园青菜成了精》获首届丰子恺儿童图画书奖之"评审推荐图画书创作奖"，《荷花镇的早市》获此奖的"优秀图画书奖"。

◎ **朱成梁**

1948年生，现任江苏美术出版社副总编。画的第一本图画书是《两兄弟》（1980年），获江苏少儿文艺创作二等奖。之后创作《一闪一闪的兔子灯》获联合国科教文组织颁发的野间奖。1985年参加由日本出版八国画家联合创作的图画书《地球的同一天》、此外《灶王节的故事》获第四届全国连环画评比绘画二等奖。 2009年，《团圆》荣获首届丰子恺儿童图画书奖之"最佳儿童图画书首奖"。

◎ **赵晓音**

1968年生，现任少年儿童出版社副编审、美术装帧室主任，目前主要从事平面设计和儿童图画书的插画创作。《小熊先生的日记》获第二届小松树奖，《远山的树》获2009全国书籍装帧艺术展最佳设计奖。绘本《看昆虫躲猫猫》、《元元的愿望》在台湾出版。喜欢当读者，欣赏美好，喜欢当作者，更想画出美好，喜欢这样的角色转换，喜欢一直画下去，乐此不疲。

◎ **钦吟之**

1973年生，上海大学美术学院中国画系毕业，以图画为乐，为各知名儿童读物及出版社创作插画和图画书，现为中国福利会出版社美术编辑，《吃黑夜的大象》获冰心儿童图书奖，"看看丛书"获中国最美丽的书等多种奖项。

◎ **张小莹**

1977年生，毕业于南京艺术学院美术系版画专业。正职从事原创图画书的编辑工作，副业给杂志期刊画插画，平日，也绘制图画书。

图书在版编目（CIP）数据

　　蝴蝶·豌豆花：中国经典童诗 / 冰心等著；王晓
明等绘. —石家庄：河北教育出版社，2010.4（2019.9重印）
　　ISBN 978-7-5434-7566-3

　　Ⅰ.①蝴… Ⅱ.①冰… ②王… Ⅲ.①儿童文学－诗
歌－作品集－中国－现代②儿童文学－诗歌－作品集－中
国－当代 Ⅳ.①I286.2

　　中国版本图书馆CIP数据核字(2010)第019958号

蝴蝶·豌豆花 —— 中国经典童诗

诗歌主编：金　波		印　　刷：盛通（廊坊）出版物印刷有限公司
绘画主编：蔡　皋		发　　行：北京启发世纪图书有限责任公司
责任编辑：张翠改　高群英		www.7jia8.com　010-59307688
策　　　划：北京启发世纪图书有限责任公司		开　　本：787mm×1092mm　1/12
台湾麦克股份有限公司		印　　张：4
		版　　次：2010年4月第1版
出　　　版：河北出版传媒集团		印　　次：2019年9月第18次印刷
河北教育出版社　www.hbep.com		书　　号：ISBN 978-7-5434-7566-3
（石家庄市联盟路705号　050061）		定　　价：39.80元

如有印装质量问题请与印刷厂联系（010-52249888转8816）